DIPERSEMBAHKAN UNTUK ANAK-ANAK INDONESIA, GENERASI HARAPAN MASA DEPAN BANGSA
"GANTUNGKANLAH CITA-CITAMU SETINGGI BINTANG DI LANGIT"

Dedicated to the children of Indonesia — the hope of the motherland
"Raise your aspirations as high as the stars"

putri bunga melur

PRINCESS JASMINE

CERITA RAKYAT DARI SUMATERA UTARA, INDONESIA
A FOLKTALE FROM NORTH SUMATERA, INDONESIA

DICERITAKAN KEMBALI OLEH / *RETOLD BY*
MURTI BUNANTA

ILUSTRASI OLEH / *ILLUSTRATED BY*
HARDIYONO

 **Kelompok Pencinta Bacaan Anak**

PUTRI BUNGA MELUR
PRINCESS JASMINE

PENGARANG / *AUTHOR*
MURTI BUNANTA

ILUSTRATOR / *ILLUSTRATOR*
HARDIYONO

KOORDINATOR DAN EDITOR KEPALA / *COORDINATOR AND CHIEF EDITOR*
MURTI BUNANTA

KONSULTAN VERSI INGGRIS / *ENGLISH VERSION CONSULTANT*
KATHERINE PATERSON

DESAINER BUKU / *BOOK DESIGNER*
LeBoYe

PENERJEMAH / *TRANSLATOR*
IDA BAGUS PUTRA YADNYA

PENERBIT / *PUBLISHER*
KELOMPOK PENCINTA BACAAN ANAK

Murti
Jkt, June 8th 2009

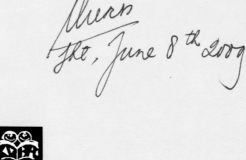

KPBA

Penerbit/Publisher Kelompok Pencinta Bacaan Anak
Society for the Advancement of Children's Literature

ISBN 979 - 9391 - 04 - 0

Pengantar Cerita

DALAM DAFTAR MOTIF-INDEKS STITH THOMPSON DONGENG INI BERNOMOR L112.2 *VERY SMALL HERO* (TOKOH BERBADAN KECIL) DAN H313. *SUITOR TEST: OBEDIENCE AND HUMILITY BEFORE BRIDE* (COBAAN BAGI PEMINANG; HARUS PATUH DAN DIHINAKAN SEBELUM MENJADI PENGANTIN). DALAM FOLKLORE ADA BEBERAPA CERITA LAIN DENGAN TOKOH BERBADAN KECIL, MISALNYA *SENGGUTRU* SEBUAH CERITA RAKYAT JAWA DENGAN TOKOH UTAMA GADIS KECIL SEBESAR IBU JARI DAN SI KECIL, TOKOH UTAMA ANAK LAKI BERBADAN KECIL, SEBUAH CERITA DARI SULAWESI SELATAN.

About The Story

IN THE LIST OF MOTIF-INDEX STITH THOMPSON THIS STORY IS UNDER THE NUMBER OF L112.2 VERY SMALL HERO AND H313. SUITOR TEST: OBEDIENCE AND HUMALITY BEFORE BRIDE. SMALL HEROES ARE ALSO FOUND IN OTHER STORIES LIKE IN THE STORY OF SENGGUTRU, A JAVANESE FOLKTALE AND TINY BOY, A FOLKTALE FROM SOUTH SULAWESI. SENGGUTRU IS THE NAME OF THE HEROINE, A THUMBLING.

DR. Murti Bunanta SS. MA

Alkisah, jauh di tengah hutan di tepi sebuah sungai hidup sepasang suami istri. Sudah bertahun-tahun lamanya mereka menikah, tetapi belum juga mempunyai seorang anakpun. Bilamana mereka sedang berbincang-bincang seringkali terdengar mereka berucap, "Kalau saja kita mempunyai seorang anak, tentu kita tidak kesepian." Akan tetapi, mereka tidak putus asa. Setiap hari kedua suami istri ini terus berdoa kepada Allah mohon dikaruniai seorang anak.

Once upon a time, a husband and a wife lived far out in a jungle on a riverbank. For many years, however, they hadn't had any children. Whenever they were having a chat, they were heard saying, "If only we were had a child, we'd not be lonely anyway." But they weren't in despair. Every single day both of them kept on kneeling down in prayers to the Almighty God Asking for a child.

Seperti biasanya setiap pagi sang isteri pergi mencuci kain. Tetapi kali ini, ketika ia melewati jalan kecil yang biasa dilaluinya, tampak sekuntum bunga melur yang sedang mekar. Bunga ini terlihat indah sekali di antara semak-semak yang mengelilinginya. Seketika terpikir olehnya, "Bila saja aku mempunyai seorang anak perempuan secantik bunga melur ini, alangkah bahagiaku." Kemudian perempuan itu meneruskan perjalanannya menuju tepi sungai yang dangkal airnya untuk mencuci.

As usual every morning the wife went to the river to wash clothes. But every time she passed by a small lane, she saw a stalk of jasmine blooming. The flower looked very beautiful in the midst of the bushes and shrubs surrounding it. All of a sudden she thought, "If only I had a daughter as beautiful as this jasmine, how happy I would be." Then the lady went on to a shallow riverbank to wash.

Beberapa hari kemudian ia bermimpi didatangi seorang kakek tua yang berkata kepadanya, "Agaknya, Allah akan mengabulkan doamu. Engkau akan melahirkan seorang anak perempuan yang amat cantik. Tetapi, bila dia sudah dewasa nanti, engkau harus mengirimkan anakmu itu ke negeri seberang. Seorang putera raja akan menjadi jodohnya. "Tidak terbilang suka cita perempuan itu, karenanya, ia berjanji akan memenuhi pesan kakek tua tersebut.

A few days later she dreamt she was visited by an old man who said, "The Almighty God will answer your prayers. You'll have a very wonderful daughter. But, when she grows up, you'll have to send her overseas. A prince will be her match." How excited the woman was ! She would surely keep her promise to that old man.

Bukan main bahagianya kedua suami isteri itu ketika mimpi sang isteri benar-benar terwujud. Mereka tidak kecewa walaupun anaknya amat kecil. Badannya hanya sebesar bunga melur dan wajahnya secantik bunga ini. Oleh karenanya, suami isteri itu memberi nama anak perempuannya Puteri Bunga Melur. Puteri Bunga Melur amat dikasihi bapak dan ibunya. Ia tumbuh menjadi gadis cantik. Walaupun demikian tubuhnya tidaklah menjadi besar melebihi sekuntum bunga melur.

What a happy life they were leading, when the wife's dream came to pass. They didn't feel discouraged even though their daughter was tiny. Her body was as small as a jasmine blossom, and her face was as beautiful as this flower. Therefore they decided to name the daughter after this flower, Princess Jasmine. She was very loved and cared by her father and mother. She grew up as a very wonderful woman. Nevertheless her body didn't grow any bigger than a stalk of jasmine.

Pada suatu hari Puteri Bunga Melur yang sudah meningkat remaja jatuh sakit. Berbagai tabib telah mencoba mengobatinya, tetapi Puteri Bunga Melur tidak kunjung sembuh juga. Teringat oleh ibunya, pesan kakek tua dalam mimpinya bertahun-tahun lalu. Sebab itu ibu Puteri Bunga Melur berkata kepada suaminya, "Pak kita harus mengirimkan anak kita ke negeri seberang seperti yang telah kujanjikan kepada kakek tua dalam mimpiku." Karena sudah suratan takdir, suaminya setuju saja.

Once Princess Jasmine had reached adolescence, she fell ill. Lots of traditional doctors had tried to cure her. However, she never seemed to recover. The message given by the old man many years ago came to the mother's mind. Therefore the mother told her husband about it. "My dear husband, we ought to send our daughter to an overseas country as I promised to the old man in my dream." Since this seemed to be their daughter's destiny, the husband agreed at once.

Kemudian Puteri Bunga Melur diantar ke tepi sungai oleh kedua orang tuanya. Ketika mereka sedang memikirkan bagaimana cara menyeberangkan Puteri Bunga Melur, tiba-tiba jatuh kelopak jantung pisang ke dalam sungai. Timbullah akal Puteri Bunga Melur. Lalu ia berkata kepada ibunya, "Ibu, mengapa tidak kita jadikan saja kelopak jantung pisang ini menjadi perahu untukku berlayar ke negeri seberang ?"

Then Princess Jasmine was escorted to the riverbank by both of her parents. As they were thinking of the way to get her into another country, suddenly a small banana trunk dropped into the river. Princess Jasmine came up with a splendid idea. Then she said to her mother. "Mother, why don't we use this banana blossom as a boat for me to sail to the foreign country ?"

Segera Puteri Bunga Melur dimasukkan ke dalam perahu kelopak jantung pisang bersama-sama dengan bekal yang telah disiapkan ibunya. Setelah itu, ayah dan ibu Puteri Bunga Melur melepasnya berlayar sambil berpesan, "Hati-hati di jalan, nak, dan ingat, kalau kau bertemu dengan bunga bakung, jangan sekali-kali kau sapa dia."

Before long Princess Jasmine was put in the boat together with some provisions prepared by her mother. After that the parents of Princess Jasmine let her sail off, calling to her as she went, "Take good care of yourself, daughter and remember, if you happen to meet wild lily, don't you ever greet her or pay her any mind, whatsoever."

Saat itu angin tidak bertiup. Agar dapat berlayar, maka Puteri Bunga Melur bersenandung memanggil angin:

> Angin Barat gelombang Barat
> Antarkan hamba ke tempat tujuan
> Hamba akan pergi ke negeri seberang

Tak lama kemudian angin mulai bertiup dan melajulah perahu kelopak jantung pisang membawa Puteri Bunga Melur menuju ke laut lepas.

At that time there was no wind. In order to sail off, so Princess Jasmine began to hum to call the wind:

> *Westward wind western waves,*
> *Kindly take your lowly servant to my destination.*
> *I am sailing to a country far away.*

Soon afterwards the wind began to blow and the banana trunk began setting off and brought Princess Jasmine out to the open water.

Ditengah perjalanan tiba-tiba Puteri Bunga Melur melihat setangkai bunga bakung yang sedang mekar. Terpesona oleh kecantikan bunga bakung itu, ia lupa akan pesan ibunya. "Wahai bunga bakung, alangkah cantik wajahmu !", sapanya. Seketika itu berbeloklah perahunya ke arah bunga bakung. Ketika mendekat, terdengar sebuah suara menjawab, "Singgahlah sebentar Puteri Bunga Melur, aku ingin ikut bersamamu berlayar."

As she sailed down the wide river, Princess Jasmine suddenly saw a stalk of wild lily blooming. Being impressed with the beauty of that wild lily, she forgot about what her mother told her, "Dear Lily how wonderful your face is !" she greeted the flower. Immediately she guided the boat towards the lily, and when she was approaching, a voice said, "Drop by for a while Princess Jasmine, I'd like to go sailing with you."

Puteri Bunga Melur terkejut melihat seorang gadis sebesar dirinya tiba-tiba muncul dari bunga bakung. Wajahnya tidak cantik dan tubuhnya tidak sempurna. Jari tangan dan kakinya terlihat besar-besar tidak serasi dengan tubuhnya yang kecil. Lagipula, Tuntung Kapur, nama anak gadis ini, tabiatnya kasar, hatinya dengki dan pemalas. Konon Tuntung Kapur sebenarnya adalah seorang puteri raja yang kena kutuk.

Princess Jasmine was surprised to see a tiny girl as small as herself suddenly appearing from the wild lily. Her face wasn't beautiful and her body was deformed. Her fingers and toes looked big and they didn't match with her little body. What's more, Tuntung Kapur (the girl's name)*, was rude, spiteful and lazy. It was said that Tuntung Kapur actually was a cursed princess.*

Tanpa disangka-sangka, Tuntung Kapur meloncat ke dalam perahu. Lalu, dengan kasar diperintahnya Puteri Bunga Melur agar cepat berangkat. Puteri Bunga Melur tidak dapat menolak. Sebab itu ia menghibur diri, pikirnya, "Sekarang aku tidak kesepian lagi. Ada kawan yang dapat kuajak bermain-main dan bercakap-cakap. Bukankah perjalananku masih panjang ?" Kemudian, Puteri Bunga Melur bersenandung :

Angin Barat gelombang Barat

Antarkan hamba ke tempat tujuan

Hamba akan pergi ke negeri seberang

Without worrying, Tuntung Kapur jumped into the boat. Then, Princess Jasmine was told to leave immediately. She couldn't refuse to take Tuntung Kapur with her. That's why she just was able to soothe herself and thought to herself. "Now I am not lonely anymore. There is a friend that I can play with and talk to. Isn't the destination still a long way off ?" Then, Princess Jasmine began humming:

Westward wind western waves

Kindly take your lowly servant to my destination

I am sailing to a country far away.

Setelah menempuh perjalanan yang amat jauh mengikuti alur sungai yang berkelok-kelok dan melewati jeram-jeram yang terjal, maka sampailah Puteri Bunga Melur dan Tuntung Kapur di negeri seberang. Karena kecilnya, tidak tampak jelas oleh para penduduk, perahu kelopak jantung pisang telah bersandar di pelabuhan. Mereka hanya melihat sinar yang amat terang yang sebenarnya berasal dari kecantikan Puteri Bunga Melur.

After covering a long distance and following a winding stream, passing through steep rapids, they reached a foreign land. Because of their tiny bodies, the people did not see them when they anchored at the port. They just saw a bright beam, which originated from the beauty of Princess Jasmine.

Penduduk menjadi kacau dan seorang hulubalang segera menghadap baginda raja. "Tuanku, sabdanya, "Ada seberkas sinar ajaib di pelabuhan. Hamba tidak tahu dari mana asalnya dan apa sesungguhnya sinar terang itu." Raja seketika teringat akan mimpinya sebelum permaisuri melahirkan putera raja. Waktu itu raja dan permaisuri sudah lama menikah, tetapi belum dikaruniai seorang anakpun juga.

The local people became bewildered and a chief commander soon appeared before the Royal Highness. "My Lord," he said respectfully. "There was a trace of a miraculous ray at the port. Your servant didn't have the slightest idea where it came from and what that bright ray meant. "Immediately the King began to remember what happened in his dream before the queen gave birth to the King's son. At that time the king and queen had been married for a long time, but weren't blessed with any children yet.

Dalam mimpi baginda bertemu dengan seorang kakek tua. Kakek itu berpesan, "Engkau akan mendapat seorang putera yang akan menjadi ahli warismu satu-satunya. Besarnya hanya seibu jari. Akan tetapi, janganlah kecewa, karena suatu hari kelak, bila puteramu itu sudah meningkat dewasa, dia akan mendapatkan jodohnya. Kalau tiba waktunya, akan tampak sinar terang di pelabuhan."

Once, in his dream he met an old man. The old man gave a message. "You'll have a son who'll be the only heir. He will be as big as a thumb. Yet, don't be disappointed, because someday, when your son grows up, he'll meet his match. When the time is about to come there will be a bright beam at the port."

Segera raja bergegas berangkat ke pelabuhan. Setibanya di pelabuhan, Raja melihat sebuah perahu kecil terbuat dari kelopak jantung pisang yang sedang berlabuh. Raja kemudian bertanya, "Siapa gerangan tuan-tuan puteri ? Bidadari ataukah peri ? Dan apa maksud tuan-tuan puteri datang berlabuh di negeri kami ?"

Soon afterwards, the King hurriedly left for the port. On arriving there, the King saw a small boat made of a banana trunk. Then the King asked, "Who are you princess? Are you a fairy or a deity? What's the purpose of your coming to our land?"

Menjawablah Tuntung Kapur, "Hamba bernama Puteri Tuntung Kapur dan ini, dayang-dayang hamba," katanya seraya menunjuk Puteri Bunga Melur. Hamba datang kemari dengan maksud ingin mengabdi kepada Baginda dan putera Baginda." Lalu ia melanjutkan, "Hamba berharap Baginda mau menerima kami."

Tuntung Kapur answered respectfully, "Your servant is Tuntung Kapur and this is my maid," she said while pointing to Princess Jasmine. Your servants come here to devote ourselves to your Royal Highness and to the prince." Then she went on to say "We hope your highness is willing to welcome us."

Karena baginda raja mengira bahwa Tuntung Kapur adalah jodoh puteranya, maka raja memerintahkan para hulubalang mempersiapkan segala keperluan kedua gadis itu. Melihat hal ini, berkatalah Tuntung Kapur yang dengki hati itu kepada raja, "Baginda, untuk dayang hamba, cukuplah ia tidur di dekat kandang kuda saja. Ia tidak perlu ikut tinggal di Istana." Puteri Bunga Melur amat sedih mendengar perkataan Tuntung Kapur yang tidak tahu membalas budi. Akan tetapi ia diam saja.

Because the King thought that Tuntung Kapur *was the one destined to be his son's wife, the king ordered his aides to prepare and provide everything required for both girls. Knowing about this,* Tuntung Kapur *who was spiteful in nature said to the King, "Your Majesty, for my servant, it's quite enough if she is put in the horse stable. It isn't necessary for her to stay in the palace." Princess Jasmine looked so sad when she heard this spiteful remark.* Tuntung Kapur *was really ungrateful but Princess Jasmine remained silent.*

Akan halnya putera raja, ia selalu memperhatikan tingkah laku kedua gadis itu. Kalau Tuntung Kapur menggulai, setelah kelapanya diremas, diambilnya ampasnya, tetapi dibuangnya santannya. Kalau dia menampi beras, diambilnya dedak dan padinya, tetapi dibuangnya berasnya. Kalau dia menumbuk tepung, setelah diayak, lalu diambilnya yang kasar dan tepungnya justru dibuang. Tentu saja masakan Tuntung Kapur tidak sedap dan putera raja tidak mau menyentuhnya.

As his son did, the King also constantly observed both girl's behavior. When Tuntung Kapur prepared some curry, she pounded the coconut and squeezed and kept the scraps, but the coconut milk she threw away. When she sorted out rice, she threw away the fine rice, and kept the husk instead. When she pounded flour, and sieved it, she took the coarse flour and the fine flour was thrown away. No wonder Tuntung Kapur's cooking wasn't tasty and the Prince didn't touch it at all.

Pada suatu hari putera raja berjalan melewati tempat Puteri Bunga Melur tinggal. Putera raja datang bersinggah dan Puteri Bunga Melur menjamunya dengan hidangan yang dipersiapkannya sendiri. Sejak itu putera raja sering-sering singgah karena makanan yang dihidangkan Puteri Bunga Melur amat lezat rasanya. Sebenarnya, putera raja ingin Puteri Bunga Melurlah yang akan menjadi isterinya. Akan tetapi ia tidak berani membantah titah ayahandanya yang telah menjodohkannya dengan Tuntung Kapur.

One day the Prince was walking past the stable in which Princess Jasmine stayed. The Prince dropped by and Princess Jasmine entertained him with a delicious meal that she prepared herself. Since then the Prince often visited her because the food served was really tasty. As a matter of fact, the Prince wanted to marry Princess Jasmine. However, he didn't dare disobey his father's will and decision to marry him to Tuntung Kapur.

Pada suatu ketika raja dan putera mahkota ingin berpesiar menelusuri sungai, maka dipersiapkanlah sebuah perahu besar. Pada mulanya Tuntung Kapur tidak mengizinkan Puteri Bunga Melur ikut berpesiar. Karena putera raja bersikeras, maka berkatalah Tuntung Kapur, "Baiklah, tetapi si Melur harus berlayar sendiri. Aku tidak sudi berlayar bersamanya." Oleh karena itu, dipersiapkanlah sebuah perahu kelopak jantung pisang untuk Puteri Bunga Melur.

Someday later the King and his prince wanted to go sailing along the river, so he asked his people to make a big boat ready for sailing. At first, Tuntung Kapur *didn't allow Princess Jasmine to come along. Since the king's son insisted,* Tuntung Kapur *said "All right then, but Princess Jasmine has to sail by herself. I'm not willing to sail with her." Therefore a boat made of banana trunk was prepared for Princess Jasmine.*

Tiba saatnya rombongan raja berpesiar. Terlihat sebuah kapal besar bernama Pelang Tembaga diiringi sebuah perahu kecil terbuat dari kelopak jantung pisang. Ketika mereka melewati sebuah hutan di pinggir sungai, keluarlah bermacam-macam serangga, tikus hutan, ular, kupu-kupu, burung dan binatang-binatang lain penghuni hutan.

It was time the King's group set out. A big boat named Pelang Tembaga *(Copper Board) was sailing and followed by a small boat made of a banana trunk. When they passed by a grove of trees, suddenly various kinds of insects, forest rats, snakes, butterflies, birds and other inhabitants of the forest came out.*

Para penghuni hutan segera bernyanyi beramai-ramai.
Beginilah nyanyian mereka :

> Dalam sampan Pelang Tembaga
>
> Berlayar Tuntung Kapur
>
> Dalam sampan kelopak jantung
>
> Berlayar Puteri Bunga Melur
>
> Dalam sampan Pelang Tembaga
>
> Entah siapa dia
>
> Dalam sampan kelopak jantung
>
> Dialah tunangan putra raja

The inhabitants of the forest began singing together.
It sounded like this:

> *In Copper Board Boat*
>
> *Sailing,* Tuntung Kapur
>
> *In Banana blossom boat*
>
> *Sailing, Princess Jasmine*
>
> *In Copper Board Boat*
>
> *No one knows who she is*
>
> *In Banana blossom boat*
>
> *She is the Prince's choice, indeed*

Mendengar nyanyian tersebut, putera raja cepat menyimak. Lalu ia berkata, "Ayahanda, coba dengar nyanyian binatang-binatang itu." Segera Tuntung Kapur menjawab, "Jangan pedulikan nyanyian itu, Baginda. Nyanyian binatang tidak dapat dipercaya dan tidak masuk akal." Akan tetapi,karena para penghuni hutan terus saja mengulang-ngulang nyanyiannya, maka timbullah syak wasangka baginda raja dan putera mahkota.

When the Prince heard that song, he began to pay more attention to the lyrics of the song. Then he said, "Father, would you please listen to the song sung by those animals." Tuntung Kapur immediately responded. "Pay no heed to such a song, it's groundless and incredible." However, the animals kept on singing the song repeatedly. Gradually it made the King and the Prince become suspicious of Tuntung Kapur.

Sepulang pesiar, baginda raja menanyakan hal ikhwal yang sebenarnya. Akan tetapi Tuntung Kapur tidak mau mengakui perbuatannya. Lalu dipanggillah Puteri Bunga Melur datang menghadap. Puteri Bunga Melur kemudian menceritakan seluruh kisahnya. Baginda rajapun menjadi sangat murka karena telah ditipu oleh Tuntung Kapur.

On returning from their cruise, the King demanded the truth. Tuntung Kapur was still obstinate and didn't want to tell the truth. Then Princess Jasmine was summoned before the King. Princess Jasmine revealed what had taken place and told the whole story. The King became enraged because he felt cheated by Tuntung Kapur.

Oleh karena itu, Baginda raja memutuskan Tuntung Kapur harus dijatuhi hukuman. Ia dimasukkan ke dalam perahu kelopak jantung pisang dan diusir meninggalkan negeri seberang. Karena Tuntung Kapur tidak pandai memanggil angin, perahunya berlayar tak tentu arah. Sejak itu tidak ada yang tahu bagaimana jadinya nasib si Tuntung Kapur.

Therefore, the King decided to punish Tuntung Kapur. She was put in a banana trunk and evicted from the land. Tuntung Kapur wasn't clever enough to call the wind; her boat sailed off aimlessly. Since then nobody knew what Tuntung Kapur's fate was.

Sementara itu, Puteri Bunga Melur dibawa pulang ke istana. Segera Baginda raja menitahkan rakyatnya untuk menyiapkan pesta perkawinan putera raja dengan Puteri Bunga Melur. Empat puluh hari empat puluh malam lamanya pesta megah berlangsung, penuh suka cita dan kegembiraan. Ayah dan ibu Puteri Bunga Melur amat berbahagia mendengar nasib anaknya.

Meanwhile, Princess Jasmine was brought to the palace. Soon afterwards the King ordered his people to prepare a huge wedding feast for the Prince and Princess Jasmine. It lasted for forty days and nights and it was magnificent, merry and full of exuberance. The father and mother of Princess Jasmine were filled with happiness.

MURTI BUNANTA - PENGARANG / *AUTHOR*

Murti Bunanta adalah Doktor pertama dari Universitas Indonesia yang meneliti sastra anak-anak sebagai topik disertasi. Dia juga pendiri dan ketua Kelompok Pencinta Bacaan Anak (K.P.B.A.), sebuah organisasi nir-laba yang merupakan pelopor dalam berbagai kegiatan untuk memajukan bacaan anak di Indonesia. Dia banyak menulis essai dan berceramah tentang sastra anak-anak. Selain Putri Bunga Melur, bukunya untuk anak-anak yang telah diterbitkan adalah Si Bungsu Katak (1997) yang mendapat penghargaan *The Janusz Korczak International Literary Prize*-1998, Legenda Pohon Beringin (2001), Buku Abjad ABC - Binatang (2001), Senggutru (2001), 20 Peribahasa Untuk Anak-Anak (2001), Si Kecil (2001), Kancil dan Kura-Kura (2001) dan Suwidak Loro (2001).

Murti Bunanta is the first person to receive a doctorate from the University of Indonesia using research in children's literature as the topic for her dissertation. She is also the founder and president of Society for the Advancement of Children's Literature, a non-profit organization that pioneers various activities to develop children's reading in Indonesia. She has written a number of essay and given numerous lectures on children's literature. In addition to Princess Jasmine, her other books are entitled Si Bungsu Katak (1997) which received The Janusz Korczak International Literary Prize-1998, The Legend of the Banyan Tree (2001), ABC-Book-Animal (2001), Senggutru (2001), Twenty Indonesian Proverbs for Children (2001), Tiny Boy (2001), The Mouse Deer and Turtle (2001), and Suwidak Loro (2001).

HARDIYONO - ILUSTRATOR / *ILLUSTRATOR*

Lahir di Yogyakarta. Pendidikan Akademi Seni Rupa Indonesia jurusan seni lukis. Selain terkenal sebagai ilustrator buku anak dan majalah anak, ia juga seorang pelukis kaca, kaligrafi Arab dan pematung. Mendapat berbagai penghargaan, antara lain pemenang pertama lomba ilustrasi buku anak INABBY 1991 (Indonesian Board on Books for Young People).

Born in Yogyakarta, Hardiyono was graduated from Akademi Seni Rupa Indonesia (Indonesia Fine Art Academy), department of fine art. In addition to being a famous ilustrator of children' s books and magazines, he is also a glass painter, Arabic calligrapher, and sculptor. He has received various awards for his work, and was the first winner of the children's book illustration contest held by INABBY (Indonesian Board for Young People) in 1991.

KATHERINE PATERSON - KONSULTAN BAHASA INGGRIS / *ENGLISH LANGUAGE CONSULTANT*

Pengarang lebih dari 20 buku cerita anak termasuk dua novel untuk remaja. Dari karyanya tersebut ia telah memenangkan dua kali the Newbery Medal (1978 dan 1981) dan the National Book Award (1977 dan 1979). Kedua penghargaan ini termasuk yang paling bergengsi di Amerika. Pada tahun 1998 Katherine Paterson menerima Hans Christian Andersen Award, penghargaan dua tahunan yang diberikan oleh International Board on Books for Young People (IBBY) sebagai pengakuan atas karya-karyanya yang telah diterbitkan dalam 22 bahasa.

Katherine Paterson is the author of over twenty books, including twelve novels for young readers. She has twice won both the Newbery Medal and the National Book Award (USA). Her work has been translated into 22 languages, and she is the 1998 recipient of the Hans Christian Andersen Author Award given biennially by the International Board on Books for Young People in recognition of the writer's complete body of work.